17.95

D1543823

Anthony Browne

Ourson et les chasseurs

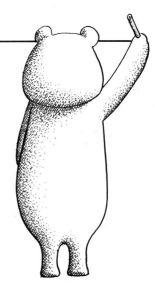

kaléidoscope

Texte traduit de l'anglais par Isabel Finkenstaedt

Titre de l'ouvrage original : BEAR HUNT
Éditeur original : Penguin Books, Ltd. Londres
Copyright © 1979 Anthony Browne
Tous droits réservés
Pour la traduction française : © 2003 Kaléidoscope,
11, rue de Sèvres, 75006 Paris, France
Loi n° 49.956 du 16 juillet 1949 sur les publications
destinées à la jeunesse : septembre 2003
Dépôt légal : septembre 2003
Imprimé en Italie par Trento srl

www.editions-kaleidoscope.com

Diffusion l'école des loisirs

Un jour, Ourson part se promener.

Deux chasseurs arrivent.

Ils aperçoivent Ourson.

Attention, Ourson !

Vite, Ourson se met à dessiner.

Bravo, Ourson !

Mais il reste l'autre chasseur.

Cours, Ourson, cours !

Ourson lève son crayon...

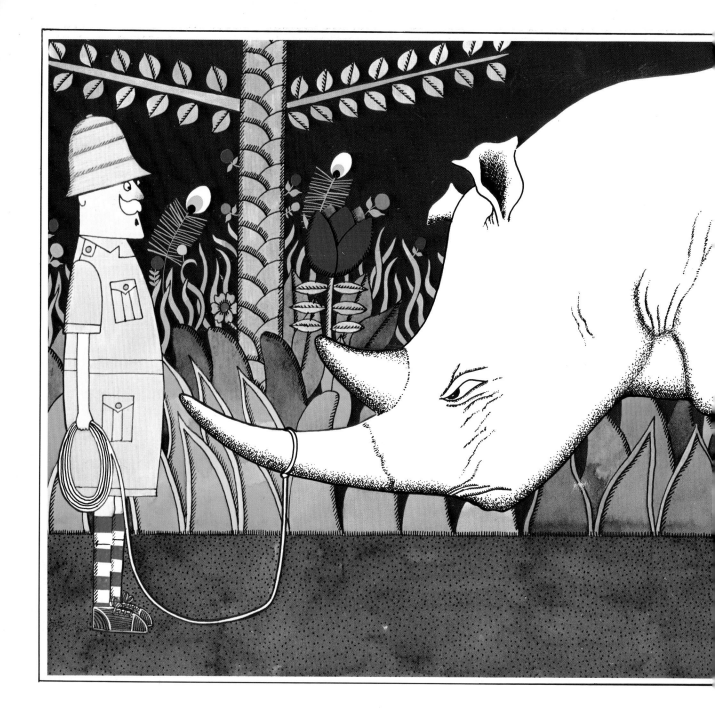

... et poursuit son chemin.

Oh non ! Revoilà le premier chasseur.

Ourson se met au travail.

Au-dessus de toi, Ourson !

Ourson est pris.

Mais il a toujours son crayon.

Malin, l'ourson !

AU SECOURS !

Fais quelque chose, Ourson !

Alors, Ourson s'évade...

... et les chasseurs restent loin, loin derrière.